TURAS

le Iain D. Urchardan

TURAS

le Iain D. Urchardan

Riaghladair Carthannais na h-Alba
Carthannas Clàraichte/
Registered Charity SC047866

Air fhoillseachadh ann an 2023 le Acair,
An Tosgan, Rathad Shìophoirt, Steòrnabhagh, Eilean Leòdhais, HS1 2SD

www.acairbooks.com
info@acairbooks.com

© an teacsa Iain D. Urchardan

An dealbh còmhdaich le Iain D. Urchardan

Tha còraichean moralta an ùghdair/dealbhaiche air an daingneachadh.

Deilbhte agus dèanta le Acair

Na còraichean uile glèidhte. Chan fhaodar pàirt sam bith dhen leabhar seo
ath-riochdachadh an cruth sam bith, no a chur a-mach air dhòigh no air chruth
sam bith, grafaigeach, eleactronaigeach, meacanaigeach no lethbhreacach,
teipeadh no clàradh, gun chead ro-làimh ann an sgrìobhadh bho Acair.

Dealbhachadh an teacsa agus a' chòmhdaich le Joan MacRae-Smith às leth Acair

Gheibhear clàr catalogaidh airson an leabhair seo bho Leabharlann Bhreatainn.

Chuidich Comhairle nan Leabhraichean am foillsichear le cosgaisean an leabhair seo.

Tha Acair a' faighinn taic bho Bhòrd na Gàidhlig.

Clò-bhuailte le Hobbs, Hampshire, Sasainn

LAGE/ISBN 978-1-78907-136-8

Èist ris an leabhar:
www.acairbooks.com

Clàr-Innse

MEASGACHADH

POILITIGS

THALL THAIRIS

DUALCHAS

STRÒC IS SLÀINTE

IOMPACHADH

Obair Samhraidh, 1965

Thall san Eilean shir sibh obair:
saothair samhraidh thaighean-òsta,
ach, a dheugair, fhuaireadh barrachd –
bràmair ògail, gaisgeil, spòrsail.

Mheudaich càirdeas is cha b' fhada
gus an d' bhlais sibh mil na h-òige:
rè gach mionaid a bha saor dhuibh,
mheal sibh mìlse mhìltean phògan.

Ghabh sibh cothrom air gach dannsa
anns gach talla-baile bòidheach,
siubhal thuca dinnt' an cùlaibh
Mini Bhertie: dlùth is dòigheil.

Ach, aig deireadh teas an t-samhraidh
thill sibh dhachaigh, caran brònach.
Nis, cha robh sibh san aon àite:
shìn, air ur cridh' dealt na h-ònrachd.

Shèid ur brùth-sa. Is gu grànda
chàin dubh-nàmhaid sibh gun tròcair.
Ach rinn sibhse aiseid balaich
's thug sibh dhàsan mòr-ghràdh òrach.

'S ged a chaochail athair òg-san,
cha do thrèig sibh dìlse òirdheirc.
Oir, nur gràdhag chaomh, neo-uaibhreach,
mhol sibh esan tric dhan òg-fhear.

'S dh'fhàs am balach sin na thuigse –
thaobh breith dhaoine, faoine, gòrach;
dhiùlt e leithid 's b' fheàrr leis feadhainn
air an iomall, 's thuig e 'n còmhradh.

Athair Òig Chaoil

An do thog do dhà ghàirdean
mo bhodhaig an-àirde -
le blàths a' fàsgadh
do phàiste?

An do sheall do dhà shùil
le mùirn air mo ghnùis,
a' meudachadh gaoil
gu h-àghmhor?

An do phòg thu led bhilean
maoil gheal do ghille,
'S an do sheinn 'ad gu mireil,
gam thàladh?

Robh d' chridhe mar chuan
le muir-làn a dhuain,
a' lìonadh gu buan –
le gràdh dhomh?

No 'n d' thràghadh do dhòchas
leis a' bhànachadh leòinte
nad fhuil, a bha seòladh
gu bàsmhor?

Ach, athair òig chaoil,
on a thrèig thu mo shaogh'l,
chaill mo chridhe a ghaol –
gam sgànradh,

gun agam fiù 's fathann:
mac-talla, no sgath ann,
dham spiorad 'tha lathadh
san t-sàmhchair.

Còig Deòir air Duilleag

Tha còig deòir air duilleag
a sgrìobh tè bha làn gràidh.
Tha còig deòir air duilleag
a dhòirt à cridhe bàidh.

Tha còig deòir air duilleag
a nochd an cèis bha lom.
Tha còig deòir air duilleag
a shàth an sgian nur com.

Tha còig deòir air duilleag
a dh'innis mar chrìon e às.
Tha còig deòir air duilleag –
thug dòrainn sìos na fhras.

Tha còig deòir air duilleag
a shil air sgàth a' chàis.
Tha còig deòir air duilleag
nach bàth, gu bràth, do chràdh.

Tha còig deòir air duilleag
a dhòirt à tuil do phèin.
Tha còig deòir air duilleag
nach nigh an siabann fhèin.

Tha còig deòir air duilleag
a leum air brath a' bhàis.
Tha còig deòir air duilleag
nach fhalaich nì gu bràth!

Tha còig deòir air duilleag
a thaom à sùilean cràidh.
Tha còig deòir air duilleag:
"Ò, an ainm an àigh!"

Cò às a tha Thu?

Cò às a tha do chinneadh, 'ille?
Cha bhuin e 'n seo, dhan àit'-sa.
Cò às a tha do shloinneadh, 'ille?
Is diofraichte o chàch e!

Cò às a tha do theaghlach, 'ille?
"À Tìr Mòr thall?" Seadh, càite?
Ach, nach eil feum air cuideachd, 'ille,
nas fhaisg' na Inbhir Àsdal?

'Eil agad fhèin ach aon taobh, 'ille?
An seas leth-chois sa chàs dhut?
Nach fheum sinn uile 'n dà chuid, 'ille -
'son meidh 'thoirt dhuinn tro àmhghar?

Is dè a nì do Mhamaidh, 'ille,
airson do dhìon bhon chràdh ud?
Nuair thogar suas na dùirn riut, 'ille,
an neart gu leòr a gràdh dhut?

Seadh, càit' a bheil do Phabaidh, 'ille,
nì sabaid dhut nad bhlàran?
Aidh, càit bheil do chagar, 'ille?
An till e 'r ais gu bràth dhut?

A bheil thu nis a' caoineadh, 'ille,
's do chridhe beag air ànradh?
A' plosgadh, lag is fann, 'ille,
an leig e suas ... 's an sgàin e?

An Dìomhaireachd

Cha b' aithne dhut do sheanmhair?
Cha b' aithne dhomh i riamh.
Nach robh i beò gun d' ruig thu deich?
Bha – 's chan fhaca mi a fiamh.

Ciamar a rèist, nach d' choinnich sibh?
Bu mhis' *An Rud nach Aidichear:*
an *Dìolaineach* às aonais brìgh,
sa phoca shìos sna cladaichean.

Dh'fhalaich càirdean bhuaip' mo sgeul;
chan aithriseadh 'ad *Am Fathann.*
Ach dh'èirich dhòmhsa aon àrd-reul:
Mairead Anna – piuthar m' athar.

B' ise a leugh na litrichean
an dèidh là dubhach a bhàis:
bhom mhàthair-sa gu 'bràthair-se
's a sgrìobh thuic', a dh'aindeoin a càis.

B' i a thug gu peathraichean mi,
(le taic bho Scott, fear-pòst' a gràidh,)
's chun a' chòrr; bu leanailteach i.
Na h-iomairt bha lasachadh cràidh.

B' ise gu cinnteach m' aingeal-sa,
teachdaire gràidh o bhris ar là:
ban-uasal chòir, dhaingeann, cheart –
bidh mo spèis-sa aice gu bràth.

Tuigse Ùr

Dh'èirich tuigse ùr, mar fhathann,
's bha an fhìrinn nuadh nàrach:
ann a bhith a' sireadh m' athar,
chaill mi sealladh air mo mhàthair.

Ann a bhith air tòir a thaibhs-san,
chlaon mo shùilean bho a h-àille;
dh'fhàs mi dall a thaobh a spèis-se,
chaill mi cuimhne air a gràdh dhomh.

Cha bu lèir dhomh meud a dìlse,
no a mìlse 's mi nam àmhghair:
i gun chadal 's mis' gun dìreadh
à mo mhisg-sa. Ò, mo nàire!

Ach a-nis, tha mi nam athair –
nì nach tig gu tur gun tàire,
's nuair a gheibh mo chridhe crathadh,
èirigh a gràdh: àrd air fàire.

Oir, tha altram snaidhte innte:
pasgadh gràdhach na dà ghàirdean,
's canaidh mise seo gu cinnteach –
chan eil màthair beò a b' fhèarr leam!

Bòirseam

Is cuimhne leams' an-diugh, le tlachd,
am baile beag ud thall,
far an do thogadh mi gu beachd
san latha sin, gun Ghall.

Bha Gàidhlig aig a h-uile neach,
a h-uile fear is tè,
bha còmhnaidh anns a' chlachan bheag
san d' thòisich mi mo rèis.

Bha fàilte anns gach taigh mu seach
do bhalach beag gun sgìos;
's gach doras fosgailt': 'Fàilt' a-steach
gu briosgaid 's cupa tì!'

Cha robh ar dachaigh spaideil ann:
gun ruith na h-uisg' tro phìob;
cha robh no dealan, bha 'n cumhachd gann,
bha fiù 's taigh-beag a dhìth!

Aig cùl an taigh' bha scuilearaidh,
's an sin a-staigh bha preas;
le teine *gas* 'cho goireasach',
's dà chuinneag – air, a sheas.

Ach bha an taigh seo sàbhailte,
na thèarmann dhuinn thar chàich;
's e làn de ghaol 's de dh'àbhachdas,
nach fhàg mo chuimhn' gu bràth.

Bu phrìseil dhòmhsa – air an sglèat
an t-uisg' bhith danns' le brag;
's mise, le mo sheanair shìos,
Gu tèarainte, ri crag!

Ach 's fhad' o dh'fhalbh na làithean sin
's na daoine 'tha nam chuimhn',
b' iad sin a rinn mo shàsachadh -
mò ghràdh-sa air na suinn!

Cha till an seòrs dhan àit' a-nis
is gun an leithid ann;
no Gàidhlig, ach, an tè tha brist'
's blas Hearach gann, no fann.

Bòirseam: An t-Ainm

Canar gur Lochlainn tùs na cainnt'
thug dhuinn an t-ainm nach ceilear:
Borg a' ciallachadh daingneach, is
Holm a' ciallachadh eilean.

Aonaran

Às aonais chloinne
na bhaile, na òige;
mar sin, bha esan
daonnan na ònar.

Ach, math le spaid 's le sùil mhic-meanmna
chitheadh e feum air ealain a ghineamhainn:
àrdachadh 's ìsleachadh ìre na talmhainn,
linneachan ruitheadairean-uisge a dhealbhadh;
àiteachan mì-chothromach a thogail gu rèidh,
cha bu shaothair seo dha, ach ruith agus leum!
Seadh, stiùir e aonranas gu caidreamh na h-obrach
mar shàr-charaid-làitheil – àrd dha na thogradh.

'S thug e dha
         a chridhe.

Deicheadan air adhart, tha 'n cleachdadh na stèidh.
Chan àill leis saor-làithean 's do leisge cha ghèill.
Chan fhàiltich e tàmh
ach na chadal a-mhàin,

's bidh seo na fhasan
na bheatha gu bràth:
gus an caidil a chridhe
air latha a bhàis.

Neònach?

Bheil esan neònach,
no fiù 's car gòrach?
Oir *tha* a mheòrachd
ris-san a' còrdadh,
's e tric na ònrachd.

Chan àill leis sluagh,
fuaim, danns' no duan;
's fheàrr – fada buan –
socras na chluais
na riasladh 's ròlaist.

Seadh, ged chluinnt' a ghuth
measg dhaoine gun sgur –
le gàgail circ'-guir' –
bidh 'fhaclan *gu tur*
a' cleith: an-stòldachd.

A bheil sin cho neònach?

A Bhlincidh Bhig

A Bhlincidh bhig, a Bhlincidh bhig,
rinn fearan òg trom-chaoineadh.
A Bhlincidh bhig, a chuilein chlis,
oir tha a chridh' a' faondradh.

Ciamar a-nis, a Bhlincidh bhig
a dh'fhàgaist e fo uallach?
Oir 's tric a dh'èigh e ort, "Thig! Thig!"
is thogadh tu a smuaintean!

Ged bhitheadh e air triall on taigh
's air fantainn bliadhn' air falbh;
bu tusa ghràidh – on taigh a-staigh –
a gheibheadh a' chiad sealladh.

Bu tric a ruith thu gu a thaobh
's a leum thu dh'imlich aodann;
ge 'r bith cò chanas g' eil sin faoin
sheall e mòr-mheud do ghaoil-sa.

Oir cha robh caraid riamh ann,
's chan fhaighte aon ged dh'fheuchar,
a b' ionnan riut, ged bhiodh tu fann,
bha deòin nad chrìdh' san deuchainn.

Oir leanadh tusa e gu bàs
's chan fhacas eagal riamh ort;
is dh'fhan thu dlùth ris – anns gach càs,
gun teagamh ort, no fiamh dheth.

Ach on a dhealaich sibh, fo chràdh,
's a thiodhlaiceadh san uaigh thu,
chan fhaic e d' shamhail-sa gu bràth,
's bidh toll na chridh' ga bhuaireadh.

A Bhlincidh bhig, a Bhlincidh bhig,
rinn fearan òg trom-chaoineadh.
A Bhlincidh bhig, a chuilein chlis,
oir tha a chridh' a' faondradh.

Chris: Bràthair à Màthair Eile

A nàbaidh
ro ghin dhiubh eile,
fiù 's là Sgoil Mhànais,
taobh sear an eilein.

Nar càraid
dol mar am peilear,
mheal sinn ar càil-ne
de cheòl 's a' cheileir.

Nar bàidh-ne
bha àgh nach ceilear,
thug neart san fhàsach
mar uisg' dhan t-seileach.

Nar càirdeas
– gun bhàs 's nach deilich –
dh'fhàs beannachd ghnàthach
shàr-àrd ar seilbh.

A bhràthair
à màthair eile,
'Mo shoraidh slàn leat!'
Ge 'r bith far bheil thu.

Ìomhaigh d' Athar

Bhruidhinn mi gu cinnteach:

Dhèanainn-sa nì sam bith
nam biodh cothrom agam
mionaid a chur seachad
an cuideachd bheò m' athar.
Ach tha fios
cheana agads'
air ainm d' athar fhèin;
gur beò e, nan iarrte leum
gu far a bheil e fuireach.
'S cha ghabh thu ceum
na chòir!
A bheil thu às do rian?

An dèidh beagan sàmhchair
thog e ghuth an-àirde:

Chruthaich mise,
ìomhaigh dheth,
thar chòrr is
ceathrad
bliadhna.
Is leis an uile fhìrinn,
cha lìonadh
neach sam bith
a coileantas,
gu sìorraidh.
Mar sin,
nan coinnichinn
ris a-nis,
cha b' urrainn dha
ach m' iodhal òir
a sgrios.
Air an adhbhar sin,
nach leig thu leam ...
le m' ìomhaigh neo-bhrist'.
'S fàgaidh sinn an fhìrinn ghlan
air a tiodhlaiceadh sa chist'.

Loch Comacchio, 2 Giblean, 1945

Aig m' athair bha bràthair
an Anzio a shabaid;
ach lotadh gu grànd' e,
is thill e a Shasainn.

Dhìr esan bhon ionnsaigh
thar bhliadhna mhòr fhada
's a choiseachd dh'ath-ionnsaich,
is thog e às dhachaigh.

An uair sin dhan Ghrèig leis
an soitheach mòr meatailt
thuc' uile nach d' thrèig e;
is thill 'ad dhan Eadailt;

gu bàs-chath nam peilear
san ear – taobh Ravenna.
Bha Kesselring 's eile
làn daingnicht' ann cheana.

Seadh, mìle 's dà cheud dhiubh
a' feitheamh nan glaicean:
bha 'n t-àite leo' tiugh
is dh'fheumte fìor fhaiceall.

Bu shlaodach an slighe
tro chlàbar an locha:
fo cheò an trom-laighe
is rabhadh an dochainn.

Mar dhaoine air bhàinidh,
le it' dhubh nam boineid,
ghearradh beathannan geàrr
sna blàir bha gun toinisg.

Is 'sgùr' iad an dòirlinn
ach, aon àit' a-mhàin:
Leviticus sòlaimt' –
àite-bàis is cùis-ghràin.

'S am fasgadh thuill ghrànda
le ceathrar ri thaobh,
thuit mortar mòr bàsmhor
chuir crìoch air a shaogh'l.

Aig m' athair bha bràthair
san Eadailt a shabaid;
ach leagadh sa bhlàr e,
's cha d' thill a chorp dhachaigh.

John G. Mitchell

Nach tric a dh'èireas tàire
le pàist' tha 'g iarraidh aire:
grioban – nach iarr ach gàire
a thoirt air gràisg de bhalaich;
no caileag rag nach sàsaich
a miann 's i fhèin ga dalladh
a thaobh cho gonail, grànda
's a tha gob nach gabh ri rabhadh.

Fo sgal a' mhagaidh shàraicht'
caillidh tidsear smachd air sàmh;
Thèid èighean suas, an-àirde,
's an t-oide sìos fo phràmh;
Àm thar àm 's an cab a' sàs
– sradadh-ghuth' mar steallair –
goidear uapa tlachd is càil,
mura fàsar seòlta, faireil.

Èirigh ceist à cridhe fann
bheir faochadh beag dhan tidsear,
ceist a thogas suas an ceann –
is dòchas às a' chiste.
Saoil an èirich ciall am bàrr
an òigridh ghleadhrach, fhuaimneach?
An tig iad sin, tha 'n-diugh nan gràin,
gu bràth gu cleachdadh chluasan?

Bha mise fhèin a cheart cho grànd'
nam phian, ri fuaim, an-còmhnaidh;
ach choinnich riumsa buaidh gràis,
o cheannard Gallta beòthail.
John G. Mitchell b' ainm dha
's bha inntinn fhèin mar lann.
Thug e dòchas dhomh le ghràdh
tro fhoighidinn ... nach bu ghann.

Beannaichte gun robh esan
's a bhean àlainn, Marlene.

Willie Fulton

Choisicheadh esan seachad
ann a leithid de dhòigh
is gun robh fios againne
gun dèanadh e e ...

is dh'fheitheamaid.

Thogadh e iuchraichean
às a phòcaid, is
thilgeadh e suas iad
beagan gu chùl –
mar a bha sinne an dùil.
Le ceum air adhart
's iad air an slighe
air ais sìos,
dh'fheuchadh ar liagh
rin glacadh a-rithist,
gun choimhead orra.

Nuair a dh'obraicheadh sin
leigeamaid asainn lasgain.
Nuair nach obraicheadh,
's a thuiteadh iad – aig astar –
le gliong chun an làir,
choimheadadh esan oirnne
mar gun robh sinne ceàrr
airson creidsinn
gun dèanadh e
na b' fheàrr.

Nar deugairean
shaoil sinn gum b' esan
fear dhe na balaich.
'S cha chumamaid ar spèis dha
a-mach à sealladh.
Thug e buaidh oirnn,
is dh'obraicheamaid dhàsan
gu cruaidh, neo-fhalaicht',
do Willie Fulton,
ar tidsear-ealain.

Sgoil 'IcNeacail

Bho dhùin na dorsan-sgoile oirnn
aig ceann na siathamh bliadhna,
dh'fhàs beàirn tha fàsail na mo chom
is dh'fhàgadh fànas cianail.

Oir chailleadh meiteas chuideachd ait
is spòrs bha luath gu èirigh;
is cuideachd fasan cruinneachaidh –
ar cleachdadh òg bhith cèilidh.

Oir anns a' *Hut* dhlùth-thionaileadh
clas sia, gu tric, a chòmhradh
's a' mhealtainn fuinn ar clàran-ciùil
le cluasan òg ro-dheònach.

Bha *AC/DC* 's *Saxon* ann
is *Rush*, *Led Zepp*, is *Free*;
is *Simple Minds*, is *Depeche Mode*
'n *Cure*, na *Smiths* ...'s *ABC*.

Ach b' iad a' chlann a b' fheàrr a bh' ann
gach òg-bhith, sunndach àlainn;
na Leòdh'saich is na Hearaich (bhochd)
na Beàrnaraich gu tàir' annt',

na Baghlaich is na h-Uibhistich
's na Deasaich nach robh gann,
na h-Èirisgich 's na Bhatarsaich -
b' aon t-sluagh sinn uile ann.

Mo ghaol-sa air na Barraich chòir'
cho èibhinn, ealant', bòidheach;
is mòr mo dhìth nan aonais-san
oir b' annt' bha 'n tarraing dhòmhsa.

B' iad riochdairean an t-saoghail ùir,
beath' ùr nan Eilean Siar,
's iad uile làn de dhòchas òg
th' air chall an-diugh – gun sgeul!

B' iad siud na làithean-sòlais ghrinn
tha taisgte na mo chuimhne;
a shiubhlas leam an cridh' mo chridh'
nuair thèid mo chur dhan doimhne.

Calum 'Mòr' Mhurchaidh Dhòmhnaill

Seann fhear cho còir 's a sheas
ann am bòtannan *Argyle* riamh –
lem mullaichean air an tionndadh sìos.
Air èideadh ann an geansaidh bhobain,
dungarees, is coibhneas bodaich.

Gach uile Sàbaid aig àm lòin
ghabhainn brot 's an uair sin feòil.
B' e seo an àbhaist aig mo sheanair.
Ach, nuair bhiodh àsan uile deiseil,
dhèanainn air Calum: luath, làn treise.

Chan fhàgainn esan 's e na ònrachd
oir ghabhamaid-ne mìlsean còmhla:
Creamed Rice no Custard, Pear Halves no Peach:
beathachadh air leth milis, dhòmhsa.

An uair sin, nuair a bhiomaid sàsaicht',
shìneamaid ceann ri cas mar b' àbhaist
air beingidh àlainn ri taobh na h-àmhainn'.
Fon uinneig, far an caidleamaid.

Treis mhath an dèidh sin, thigeadh
bràthair mo mhàthar, gam chur thuige,
airson nach sàraichinn-sa Calum idir:
"a' bleadraich gun fhois, gun fhiaradh."

Chaochail Calum nuair bha mi air falbh;
thogte neamhnaid às mo shealladh.
Ach an-dè, chunna mi a dhealbh
is dhòirt is ruith is thaom mo dheòir –
à cridhe nach d' rinn mo mhealladh.

Mo mhòr-ghaol gu bràth
's gu sìorraidh
air Calum.

Dh'èirich a' Ghàidhlig

B' ann toilicht' a dh'fhàg mi
na h-eileanan Siar,
nam dheugair' an-abaich
a' teiche gun phian.
Bha mise òg, sunndach
is làn-chinnteach nam cheann –
am baile gam tharraing,
's mo mhòr-mhiann-s' a dhol ann.

A-niste nam aonar
nam sheòmar, lem ionndrainn,
cur facail air pàipear –
modh eile 'son caoineadh;
Ò, b' fheàrr leam bhith tilleadh
gu beannachd aon t-sealladh
de Bhòirseam, na Hearadh:
an t-àite 's an dealbh!

Bha 'n t-astar bhom dhachaigh
– bha fada mu thuath –
gam fhàgail le smuaintean
cho dubh ris a' ghual.
Ach thogadh mo dhòchas,
tro dhùsgadh sa bhaile:
chaill solais an soillse,
is sguir iad gam dhalladh!

Oir chaill mi, lem imrich,
cuid de dh'iùil mo shàr ghaoil;
ged bha i nam bheatha
bho mo thoiseach 's mo thùs.
A-nis às a h-aonais
gun taic a dà ghàirdean,
bha mi 'g ionndrainn a' chiùil
tha 'n cultar mo chàirdean.

Seadh, dh'èirich a' Ghàidhlig,
ùr-dhùisgt' agus geanail,
cur misneachd nam chridhe:
ainneamhag à teine!
Tha gràdh ann an cànan
mo mhàthar 's mo sheanar
's tha 'n tuigse seo àghmhor ...
mar bhlais mi nam leanabh.

Sump

Na fheitheamh air an ola dhubh
a th' air siubhal tron a' phump
is timcheall air an einnsean
tha tanca-tionail: an *sump*.

Dòirtidh an sleamhnachas dorch'
dhan phana – tiugh is na leum,
làn de mhìrean mheatailt shalach:
tha an t-ola aost' gun fheum.

Tha bolta beag aig bonn an t-sump
ghabhas tionndadh 's a thoirt às
airson gun tèid an salchar
a thaomadh às, na thiugh-fhras.

Nuair a nithear sin gu a chrìch,
dòirtear dhan tanc ola ùr,
le sìoltachan glan gun dìth
air a chur gu dlùth ri thaobh.
Ruithidh an t-einnsean seo le brìgh,
mar bu chòir: gu spracail, saor.

Nach bochd nach robh sump *annainne*
a sgùradh às gu cinnteach
gu tur, gu slàn 's gu coileanta
na mìrean goirt nar cinn-ne:
a ghlanadh às droch chuimhneachain
a shalaich sruth na h-inntinn.

Pà

A Phà, is mòr dhuinn ar n-ionndrainn,
oir bhuilich sibh gràdh thar chàich.
Tha sinn uile nis a' faondradh,
às ur n-aonais 's air ar cràdh.

Gu bràth, bidh sinn goirt gur n-ionndrainn:
taic ar teaghlaich, meadhan-gràis!
Gun àgh, bidh gach crìdh' a' caoineadh
sgàth ar spèis – nach lùghdaich bàs.

Làn gràidh, tha mi fhèin gur n-ionndrainn
'sheanair àlainn, 'ghabh mo làmh;
bha sibh dìleas rium gun chlaonadh.
Bidh sibh glèidht' nam chridh' gu bràth.

(Donnchadh Beag Dhòmhnaill
an Tarasaich, 1919-95)

Tè Ghriais

O càit' san t-saoghal am faigh mi fois
bhom eallach throm ro-shàraicht'?
Oir tha mi fann ga ghiùlain leam,
's mo chridhe goirt, a' rànaich.

Cha mhiste dhomh an t-eallach seo!
Cha b' fhuilear dhomh mo dhìteadh!
Oir leòn mi anam nach b' ann leam
bha sireadh ceangal cinnteach.

An èist thu rium, a leanainn òig,
ri faoisid fhìor mo chrìdh-sa?
Oir 's trom mo cheum fon aithreachas,
gun àite dhomh tha sìtheil.

Oir pheacaich mi 'ad aghaidh-sa
lem thrèigsinn, leònmhor ghrànda.
Nuair, ri do mhaise, chuir mi cùl,
gad fhàgail goirt – mo nàire!

'S e seo an smuain as miosa dhomh
nach d' thuig mi thu, gu h-àraid;
oir 's luachmhor dhòmhsa nis, gun cheist,
do chàirdeas aoibhneil, àlainn.

Am maith thu dhomh, a luaidh mo chrìdh'
's an saor thu mi bhon chràdh seo?
An gabh thu rium mar charaid chaomh
led mhaitheanas dham chàradh?

A leannain òig is prìseil thu
is tha thu tric nam ùrnaigh;
'S nam faighinn cothrom, shirinn bhuat
do làmh-sa – 's mi air ghlùin dhut.

Mo Bhean

Le roid na rèis' a' dol gu tur
gach ceum le fruis nach fannaich;
air feadh an àit' na ruith gun sgur –
siud mo bhean dhubh-cheannach!

Gad Mhiannachadh

A' chiad latha àigheil
nuair shìn mo shùil le bàigh ort,
deichead mus do phòsadh sinn,
bha thusa dìreach àlainn.

Is rè iomadh bliadhna,
cuid shona agus chianail,
bu tu fhathast m' òran binn
's sheall mi mar rinn mi riamh ort:

Nach àlainn is nach taitneach thu, a ghaoil,
is tu làn mhaise!

A Leanaibh

Mo mhòr-ghaol ort a leanaibh bhig àlainn,
nad laighe: socair, sìtheil nam ghàirdean.
Ò, lùiginn, lem ghràdh – mar dhìdean sàbhailt'-
do chleith bho shaoghal guineach mì-chàilear.

Tha d' làmhan beag' geala sìnte a-mach,
le dòchas san t-sùil nach fhaca an-tlachd.
Chan iarrainn gu bràth ach beannachd gu beachd
dhad dhùil òg, bàbach rè sligh' d' uile h-achd.

Bidh teagmhan mo chinn trom air mo ghuailnean:
le slàinte mo shliochd na cùis uallaich:
gach casad beag goirt 's anail nach cualar,
cur gaoir trom fheòil 's m' aigne ga buaireadh.

O, lùiginn a ghràidh nach deigheadh càil ceàrr,
's gum mealadh tu beatha bheannaicht', gun chràdh;
gun deigheadh do cheum air adhart gu bràth
ag èirigh air gaoth bhiodh nèamhaidh is blàth.

Ach togaidh an Sgeul a bhios mi 'g innse
(a' teagasg mu Ghaol 's Dùil a tha cinnteach)
dòchas is sunnd is fìor bhiadh-inntinn,
ach am blais thu Gràs, a naoidhein phrìseil.

Mo mhòr-ghaol ort a leanaibh bhig àlainn,
nad laighe: socair, sìtheil nam ghàirdean;
Ò, lùiginn, lem ghràdh, na dhìdean sàbhailt'
do chleith bho shaoghal guineach mì-chàilear.

Fàilte Bharraigh

Nach b' ann dhòmhsa 's dham bhean
's do gach leanabh a lean
bha bheannachd 's an aisling,
thugadh dhuinn le deagh-ghean?
Nuair ghabh sinn bàt' aiseig
còig uairean dol tarsaing!
thar chaol a bha farsaing,
suas is Siar, mean air mhean.

Bu thlachdmhor an t-slighe
ghabh sinne mar dhlighe
bhon Òban dhan eilean –
rinn Deasaich dher cridhe.
'S a' siubhal na dèile,
cho sona le chèile,
ghreas sinne mar pheilear
'cur fàilt' air a' chidhe.

Fo sgàile Bheinn Chleait
nochd sealladh bha brèagh' –
ar dachaigh bheag shàbhailt',
fo fhasgadh an sglèait.
Mu dheas oirnn: Beinn Mhàrtainn
tha beagan nas àirde.
Is falaicht o 'r fàire
bhiodh stàireachd Thràigh Eais!

Tha 'n t-eilean cho càilear
bhon Chaisteal sa bhàgh ann,
gu na lochain 's gach gleann –
's mun cuairt air a thràighean.
'S ged a sgrìobhainn lem pheann
a' mòr-mholadh na th' ann,
bhiodh mo chunntas-sa gann
a' luaidh gach àrainn.

Tha bòidhchead san àite
's chan e sin a-mhàin e;
tha fàilte nan daoine
blàth, bàigheil is càirdeil.
'S ged ghealladh, le faoineas,
nach fhaiceamaid ciùineas,
b' e ar foghlam tror n-ùine
gur Barraich tha gràdhach!

Trèigsinn is Fèin-eòlas

Air d' fhàgail nad èiginn,
air d' dhrùdhadh fo sgòthan
is air do dhubh-thrèigsinn?
'S ann as fhaisge fèin-eòlas!

Hirundo Rustica

Sheall mi suas an-diugh le spèis,
fo chuireadh cheileir àghmhor;
's cò bha bìogail rium air sgèith
ach gòbhlan-gaoithe àlainn?

Deàlradh dubh-ghorm air a dhruim,
lainnir loinnreach mar bhogh'-frois.
'N geal as gile – dath a chuim,
Amhaich ruadh, 's gun ghuth air chois.

Gob geàrr leathann 's sùilean geur
a' sireadh creich an là sin;
forc ga stiùireadh – earball fhèin,
ro-dheis nam feumar tàrrsainn.

A Phàirc nan Laoch sheòl e nuas
gu troigh os cionn an fheòir ann,
mar spàl gun tàmh, sìos is suas
's an t-acras mòr na threòir dha.

Tumadh 's tulgadh, is lùth-chleas
air tòir a lòin, le làn-dhèidh,
Sear is siar, tuath is deas;
gun fhois, gun stad – gun do ghlèidh!

Caol is lùthmhor, a dhà sgèith,
Luath is làidir breab an greas!
'S feumar sin nuair nì e leum
sìos a dh'Afraga mu Dheas.

M' eudail ort, a' chreutair bhig,
ghath-grèin dheàlraich dha mo chridh';
Gheibh thu m' fhàilt' gach uair a thig.
Thùis an t-samhraidh – feuch gun till!

Inuksuk 's Innunguaq*

Sheas *Inuksuk,*
na fhianais dhuinne,
cho cruaidh ri creag
san fhuachd ghuineach.

Cairt-iùil cloiche
a' comharrachadh càite;
toiseach slighe,
a' sònrachadh àite:

àite seilg,
àite iasgaich,
àite còmhnaidh,
àite biadhaidh,

àite adhraidh,
àite seòlaidh;
is taigh-spadaidh
charibou feòla.

Càrn nan daoine:
Inupiat is *Inuit,*
Crìoch-àit' tro ùine
Yupik is *Kalaallit.*

Sheas *innunguaq*
"an coltas duine"
cho cruaidh ri creag
san fhuachd ghuineach ...

* Dà fhacal o thùsanaich Chanada a Tuath:
Inuksuk = comharra cloiche a tha dèanta de
dhiofar chlachan.
Innunguaq = fear dhiubh a tha na "dhuine mas fhìor":
le ceann, gàirdeanan is casan.
(Nochd an dàn seo ann an Tuath, 2018)

Neil às aonais Selena 's Jackie

Thar dheicheadan,
b' òirdheirc ur n-òrain.
Ach, nuair a chualas
mu bhàs Selena,
ur n-aona-ghin,
bha a' bhuille
ro-bhrònach.

Chan eil rian
gum bu dùil dhuibh
a leigeil-se sìos,
dhan ùir a bu duibhe
a chladhaicheadh riamh.
Gun i ach naoi-bliadhn'-deug.

An naochad 's a seachd,
ghabh càr Poileis ur ceum,
's thuig ur bean, Jackie,
dè bha ceàrr: thuit drèin.
An sin thòisich ur pèin;
is ur dealachadh fhèin.

Oir, an àite a call-se
bhith gur n-aonadh,
bha sibhse dha chèile
nur fianais ro-aognaidh:
a' faomadh, às aonais
an t-sonais 'chaidh cèin
gun àgh air fhàgail,
fo chràdh 's fo chaoineadh.

Cha robh adhbhar aig Jackie,
no miann, a bhith beò.
Cha robh eadhon sibhse
nis, dhìse, nur leòr.
An ceann nan deich mìosan,
bha aills' air a cnàmh,
fo chràdh a' chridh'-bhrisidh,
's leig a corp às an deò.

A-niste nur n-aonar,
gun fhios cò bu sibh
bha Niall nam Briathran
gun fhacal na chrìdh';
às ùr air ur tolladh –
gu aigeal ur n-anaim:
gun bhriathran, gun òran.
Bha sibh buileach a' fannadh.

A' feuchainn ri thuigsinn
na bha fìor, no na bhreug,
ghreas samhla, gun ruigsinn,
rè ceithir-mìosan-deug:
air bhàrr mhotar-baidhg
tro shneachda 's tro dhìle,
a' siubhal 's a' sireadh
caogad 's a còig ... MÌLE mìle.

Ach, aig deireadh ur taisteil,
chuir Anndra, ur caraid,
sibhse an cuideachd
an neach-deilbh, Carrie.
'S, rè ùine, dh'fhairich
an taibhs dùsgadh às ùr;
is leis, b' ann a dh'èirich
nuadh dhuine bhon ùir.

Sa bhliadhna dà mhìle,
phòs sibh ur neach-ealain.

(Neil Ellwood Peart: an sgrìobhadair
's an drumair aig Rush)

Muse

Dorchadas. Solas!
Ruith. Glaodhaich.
Dùsgadh ionnsramaidean.
Is bhuaileadh sinn – le ceòl!

Ar suinn gar crathadh gu ar buinn.
Puingean ciùil, àrd-thonnan chuain bheò,
doineann a' tiùrradh bheannachdan oirnn.
Bodhaigean a' turraman fo threise nan tonn
is buillean-cridhe gan neartachadh – le fonn.

Tro thiodhlacan ealain a' chiùil a th' air sheòl:
toileachas, toileachas nas prìseil' na 'n t-òr.

Leum ar sunnd gu ìre cho àrd
's gun do thog mi ùrnaighean,
trì dhiubh, an-àird:
dhìr taing am bàrr:

Taing dhut a Chruthaidheir
airson ar dèanamh
nad ìomhaigh:
cruthachail –
le comas
ealain a mhealtainn
gu subhachail.
Taing Dhut, a Dhè:
Àrd-cheòladair
an t-sàir àrd-chiùil,
Àrd-sgrìobhadair
an dòchais is dùil,
Àrd-stiùireadair
a tha fad' os cionn
na tha an seo shìos.
An ainm Chrìosd.

Amen.

Geamair

"A Phabaidh,
fhios agaibh ... an obair agaibhse:
a' bruidhinn ann am bogsa
le bonn is mullach is
ceithir ballachan?"

Uh-huh

Chan eil mis' ag iarraidh sin a dhèanamh.
Cha bhiodh e gast' bhith glaist' a-staigh
's mo chridhe claoidht' 's a' crìonadh.

Cha leig thu leas, a ghaoil.
B' e sin mo roghainn fhèin.
Tha do bheatha-sa agadsa:
do latha fhèin sa ghrèin.

Luiginn-s' a bhith saor – a-muigh air mòinteach
a' Geamaireachd an-diugh 's an-còmhnaidh.

Nad Gheamair, a ghràidh?
Nach dèan thu sin ma-thà.
'S buidhe leams' gu bheil
inntinn air leth agad fhèin.

Cha bhi mi beairteach gu bràth,
ach bidh mi sona, rè mo là.

An cualas riamh
fìor ghliocas mic,
nach eil ach
còig-bliadhn'-deug!

Niamh (Àm na Càisge, 2017)

Sheòl thu nall
bhon taobh thall
a dh'iasgach
na Gàidhlig.
Caileag Mhalaig
caomh is mall,
dhuinne bhiodh
na gràdhag.

A Niamh òig
a' gheàrr-fhuilt ruaidh,
bha thusa ealant', àlainn;
las do gàire bhlàth gun sgur
sonas aoibhneil, bàigheil.

Ro ar n-àm
thuit thu,
gu fann:
is thogadh tu
bho d' dhaoine.
Nis, sa ghleann
as duibhe th' ann,
dh'fhàgadh cràdh
is caoineadh.

Tromhainn gheàrr
faobhar gaoir'.
Bu domhainn an call
nuair sheòl thu,
a ghràidh,
a-null:
gu taobh thall
an taoibh thall.

Eòghainn is Mòrag

Nam sheasamh
aig do dhoras,
tha mi balbh,
gun fheum.
Chan eil agam
ach pasgadh –
nach toir d' àmhghair
air falbh.

Cha dèan mi fasgadh
o bhuille-bàis
do leòin.
Oir thuit innean
gu trom
air do chom;
gad phronnadh,
fo bhròn.

Aig a' bhòrd,
cha mhiann leinn
biadh.
Fo sgleò,
cha toir càil air falbh
am pian:
carabhaidh trithead bliadhn'
a-nis gun cheòl. Gun deò.

Ars thusa,
"Cò riamh a leum a chàr ag ràdh,
'Cha tig mi às beò'?"
B' ann air èiginn 's na chràdh,
a thogadh ur mac às a' cheò:
corp fuilteach, sgamhanan brùthte,
cnàmhan briste.
Am bu chòir dhuinn a bhith taingeil
nach b' fheumte – dhàsan – ciste?

Gad fhàgail
nad chàs,
thuig mi
gath a' bhàis.

Aon Uair Eile

Fireannach na mheadhan aois
dlùth ri bhith na bhodach
's e trang ag innse sgeòil
mu làithean àrsaidh shona:

M' athair aig doras na bàthcha
shuas air cùl an taighe:
seinn shalm a' dòrtadh a-mach
gu làidir, cinnteach troimhe.

B' iomadh uair bu mhi a chlisg
nam dheugair' leamh, an-shona.
Oir thachradh seo nuair bhiodh mis'
a' leum far bhus na sgoile.

Ach 's fhada nis o chaochail Dà
's a dh'fhàg a cheòl an t-àit'-sa,
's bhon àm a thog mi seada mhòr
an àite na seann bhàthcha.

Ach dhèanainn nì sam bith an-diugh
'son m' athair fhaicinn às ùr,
na sheasamh beò san doras aost'
mus tèid mis', mi fhèin, dhan ùir.

Is lùiginn ceòl nan salm naomh',
a chluinntinn, caomh is àlainn,
is mis' ga leantainn, air mo chùrs'
gum dhachaigh shìorraidh, àghmhor.

A Lachaidh Òig

Cha robh thu ach ceithir
nuair a chaochail d' athair.
Cha robh thu ach sia deug
nuair a shiubhail do mhàthair.

Spìonadh am fàs-thaic bhuat –
cothromachas do chuideachd,
a bu chòir a bhith cuide riut:

sgiath laoich a leagadh dràgonan,
gad threòrachadh 's gad dhìon,
gad shàbhaladh – rid chliabh;

fasgadh sgèithe circe –
teann dlùth fo a h-itean,
a' mealtainn a blàthais –
sìth is ciùineachadh a gràidh.

Ach a-nis dh'fhàgadh saoghal
gun dìon, gun ghrian, gun chiall,
bonntaichte air fèin-stèidh:
'Mur dèan mise ... mi fhìn,
dhomh fhìn e,

cò eile a nì e?'
O, 'ille,
thogadh
sinne
thu.

Eagal Sgrìobhaidh

Nuair bha do chuideachd
uile a' sgrìobhadh rudan
dhan leabhar-chuimhneachain,
bha eagal nad shùilean.

Oir, sheall sùilean eile ort-sa –
a bu chòir a bhith còir, glic,
ach, an àite sin, bha 'ad trang
a' coimhead sìos ort gu tric.
Agus a-nis dh'èirich nàire
à cuimhneachain-càinidh.

Ach, chunnaic mise lot do bhròin,
sgeun, snaidhte le sgian, nad shùil.

Oir, tha m' fheadhainn-sa ortsa –
gad ghràdhachadh gu moiteil,
a' faicinn tè:
dhìcheallach, dhùrachdach,
dhìleas, dhealasach,
bhrèagha, chomasach,
èibhinn, ealanta.

Agus, mu dheireadh,
chunnaic sùil m' eanchainn rud eile:
gun tig àm nuair nach till thu tuilleadh,
dhan sgoil.
Rachaidh do phrìosanachadh seachad.

On a tha thu prìseil dhomh, chunnaic mi seo uile.

Tidsearan sa Mheadhan Chlas

Tha cuid de thidsearan sa mheadhan-chlas
a' gearain gu bheil cuid dhen chloinn sa
chlas-obrach
a' tighinn dhan sgoil leis an aodach 'cheàrr' orra.
Thathar ag iarraidh gun cuir iad umpa
èideadh-sgoile
(a chosg beag-fhortan do chuid)
agus gum bi e coileanta gu h-iomlan.
Oir, tha feadhainn dhen chloinn
a' tighinn a-steach às aonais bhrògan dubha orra.

Ach, chan eil cuimhne aig
cuid de thidsearan sa mheadhan-chlas
air cho doirbh 's a tha e dhan chloinn aig a bheil
pàrantan a tha nan drugairean,
no nam misgearan,
no aig nach eil obraichean,
no a tha nam pàrantan gun chèile,
a bhith spaideil, sgiobalta, sgiamhach.

Agus, an tè ud air an seall sibh gu suarach
airson a bhith robach ...
A bheil for agaibh gu bheil ise air a
nàrachadh air sgàth,
chan ann a-mhàin, gu bheil i rapach,
ach cho aosta, fàileasach 's a tha a h-aodach?
'S am faca sibh riamh i san t-sionc a' nighe a
dratharsan
le a làmhan san t-siabann-shoitheachan
a chionn nach eil airgead aicese
'son siabann-nigheadaireachd a cheannach?
No am faca sibh i a' caoineadh
air sgàth cho mòr 's a tha i fhèin
air a maslachadh a thaobh a staid?
Am faca!

Bithibh taingeil gu bheil ùidh aice idir
ann a bhith fiù 's
a' nochdadh
san sgoil.

Fo Cheò Thiugh Dhubh

Gun cheist, cha bu tusa Bisearta.
Cha d' chailleadh annad aon anam prìseil.
Ach, fhathast, feumar sgeul ar bròin innse.

Oir tha lasraichean do theallaich
a loisg d' àirneis is gach balla,
ag adhbhrachadh caoinidh
nam milleanan dhaoine
air feadh an t-saoghail,
aig an robh thusa
mar dhàrna
màthair.

Ò, a Alma Mater smùraich
's tu nis nad smàl – dubh is ùireach –
's an teas air d' fhàgail nad fhaondran
leis an dàrna dearg-chlaonadh,
bha fiù 's an luchd-smàlaidh,
a' coimhead dubhach air gach àradh
mu choinneamh lasadh mòr na h-àmhainn'
'S iad a' caoidh nach b' urrainn dhaibh,
nach b' urrainn dhaibh idir,
do shàbhaladh.

Nach robh AON leagail losgach
na chall mòr gu leòr?
Oir CHA B' E,
an turas mu dheireadh,
an turas mu dheireadh!
'S tha glaodhan is caoineadh
ag èirigh às ùr dhuinn
fo cheò thiugh dhubh
Cholaiste Ealain Ghlaschu ...
nach maireann.

Balla nan Stàitean

Nach bochd nach robh samhail
na Trombaid mhòir àrdanaich
na cheannard air na Stàitean
nuair dh'fheuch athair Gearmailteach
air faighinn dhan dùthaich thàlaidheach
mus do choinnich e ris an Albannach
leis an d' dh'fhàs e fhèin mòr-chàirdeil.

Cumaibh a-mach na h-eilthirich sin!
Togaibh balla mun coinneamh-san!

Windrush

Sheòl sinn dòigheil is làn dòchais,
daoine deònach, làn de spionnadh.
Air na ghealladh, dh'iarr sinn eòlas
fad' o dhòlas, ghort is chunnart.

Bha ar càs-ne ìosal, robach
gun nì a dh'fhios dè rinn sinn ceàrr.
Shir sinn uile cothrom-obrach
is beatha ùr – bhiodh tòrr na b' fheàrr.

Thìrich sinne ann an Lunnainn
làn de dhòchas agus bàigheil,
le ar n-aodach maiseach umainn
gun dùil ri càil a bhiodh gràineil.

An lameuga dh'ionnsaich sinne
eachdraidh Bhreatainn: bha glòrmhor grinn.
Bhiodh i dhuinne nis na màthair.
Carson nach d' dh'aithnich ise sinn?

Ghabh i seilbh air ar stòras,
is rinn i eilthir bheag dher tìr,
chuireadh sinn fo ghealladh-dìlseachd:
'gràdh dhan Bhanrigh ler n-uile mhìr.'

Ghealladh dhuinne fàilte chinnteach,
dhaoine shìobhalt', fhòghlaimt', chiùin.
Ciamar, mar sin, a chuala sinne,
"Tillibh dhachaigh, dhubh-dhaoine fhaoin!"

"In this country in 15 or 20 years time the black
will have the whip-hand over the white man."
(Enoch Powell, 'Rivers of Blood', 20 April, 1968)

Ar n-Ulaidhean?

Tha bodhaigean, falt is cnàmhan
o threubhan cèin is àrsaidh
gu nàrach fhèin air an càrnadh
an Goid-lann Eachdraidh Nàd'rra.

'S na biomaid idir cinnteach
g' eil sinne geal 's gun nàire;
oir, thug sinne fàs, tro linntean,
do chàs 's do chall thar sàile.

Bha càraid* bhochd dhen *B(h)eothuk*
's an dèidh sgaradh a' bhàis
thogadh an cuirp, ghoideadh an cinn;
's chaidh ar tasg-lann fhèin an sàs.

Thug sinne uap' an ulaidhean
à cladh naomh an sinnsirean,
a' seinn an dàin nach fannaicheadh –
'Mèirle Mhòr na h-Ìmpireachd.'

Dh'èirich sin à sannt a bha olc
is beachd a sheas fad ùine:
'mheas treubhan cèin uile ro-bochd –
na b' ìsle na 'fìor dhaoine.'

Tilleamaid cuid nan tùsanach:
nan Innseachan, is Canada,
na Grèig', na h-Èipheit 's Afraga –
cuide ri stòr Astràilia!

(* Nonosabasut 's Demasduit)

Èirig?

Air samhraidhean,
mìle bliadhn' air ais is barrachd,
fhad 's a bhiodh 'n sìol
a chuireadh às t-earrach
ag abachadh san talamh
thigeadh àsan a-nall,
a spùinneadh 's a chreachadh.

Is ghoideadh 'ad
òr is ealain
eaglaisean 's mhanachainnean,
is reubadh iad boireannaich:
borbachd shalachairean.

Ach tad, seadh stad.
Le fios is cinnt,
dh'fhuirich àsan
rè iomadh linn
nar n-eileanan.
Oir, phòs 'ad sinn.
'S an iarrar ìoc ...
bhuainn fhìn?

Airson gach nì a thug 'ad bhuainn
's a dh'fhàg ar tìr sa bhochdainn,
an iarr sinn, nise, èirig bhuap' –
bho shluagh ùr na Lochlainn?

Oir nach do thuig sinn fhèin gu tur
nach b' ann an-dè, no, 'n-diugh,
a ruig an spùilleadh a làn bhuil,
ach an àm a b' fhada sguir?

Carson a thoirte èirig thairis
às dèidh caogad gineal
air sgàth sluaigh, nis, nach maireann?
An gionach, sanntach sinne?

Air Tòir an Òir

Tarbh-chrann mòr buidhe
a' leagail chraobhan àrsaidh,
a' pronnadh phrisean uaine
fo thracaichean, gan gànr'adh.

Cladhairean mòra iarainn
a' sracadh fhòid is phuill;
làraidhean mòra biastail
a' glamhadh às mòr-thuill.

Gach neach trang 's gun nàire,
a' sgrios ar saoghail, le còir;
a' 'lorg puill a' phàighidh'
a' sireadh – air tòir an òir.

Na neadan beag' gan creachadh,
gach saobhaidh air a sgrios,
gach boiteag mhion gun dachaigh.
Cia mheud? Cò aig' tha fios?

Gun amas ann ach aonan:
sporain a' mhiann a lìonadh.
Coma leibh mun t-saoghal seo
a spùilleadh is a chrìonadh.

Bheil smuain idir agaibhse
dha na linntean tha ri teachd,
do ghinealaich gun àill' ann dhaibh
's an àrainneachd air a creach?

A MhicIlleDhuibh (12.01.16)

Chuala sinn mud bhàs an-diugh,
"Gu nàdarra sa phrìosan."
Seasgad 's a h-ochd – làn-àm sgur,
's do chur dhan toll gu h-ìosal.

Nuair nochd do chrìch, 's do chridh' a' stad
bha d' chràdh-sa guma geur.
Ach cha do rinn aon leanabh gal,
's cha d' shileadh dhut aon deur.

Nad bheachd fhèin bha thu làidir, treun
le cumhachd nad dhà ghàirdean;
sna dealbhan dhìot, b' ann ort bhiodh drèin;
b' e d' ghràin a dh'fhàg thu grànda.

Cha robh do thaobh a-staigh-sa grinn
ach bha e olc is loibht' is tinn;
nuair mhùch do dhiomb na guthan grinn,
bu mhòr do lochd, a dhuine mhìn!

Bha thu nad bhiast, MhicIlleDhuibh,
A reub o chuid an càirdean;
's a ghoid on chloinn an comas cluich':
Harper, Hogg, Maxwell 's *Cardy*.

Is dòch' gun cuirear riutha *Tate*,
a' giùlain phàip'rean-naidheachd
sa bhasgaid air a rothair bheag.
Dè 'n t-olc a chaidh i troimhe?

Bu bheò thu ann an là ro bhog
nach cuireadh a' chroich an sàs;
oir b' airidh thusa air, a thog
's a leag clann-nighean gu bàs.

Is fuathach, fuar na faclan seo
ach 's iad bu chòir a bhith;
nuair shaoilear mun a' chloinn a reoth
fod làimh-sa – a' call am bith.

Fìrinn 's Gràdh

"Tha fios agaibh uile mar tha mis',
innisidh mi – gu tur – an fhìrinn,
an dearbh rud a thig gu clis
an-àird gu h-àrd, nam inntinn."

"Ciamar a tha do charaid a-nis?"

"Ò, dh'innis mi dhi an fhìrinn!"

"'S càite bheil i … 's dè tha i ris?"

"'S beag m' fhios, a dh'inns' na fìrinn!"

Ach nach fheumte
nì a bharrachd:
an dà-shealladh –
fìrinn 's gràdh?
'S uaireannan
nach fhèarr do
chailleach
gun dad a ràdh …
gun chantainn càil?

Neach-poilitigs

Cha fhreagair mi ceist gu dìreach
'son nach tuig sibhs' dha-rìribh
dè tha sinne ris, os ìosal,
's gun cluinn sibhse an fhìrinn.

Propaganda – bheir mi seachad
sgudal gun susbaint bhith ann,
cha chluinn sibh fìrinn, ach fathainn,
tro fhacail mheallt' gun sgath annt'.

Ach seallaidh cuid orm gu geur
a' dlùth-amharc air mo bheul
le cinnt, nuair a chluinnte mo sgeul,
nach èirich às ach a' bhreug!

Foill: 6 Giblean, 1985

Mu dheich sa mhadainn
thachair dithis luchd-turais,
air *Volvo* ciar-dhonn, fada:
ris an leathad
trithead slat far an rathaid,
faisg air Inbhir Gharadh.

Na bhroinn bha fear, leis fhèin,
's a làmhan paisgte na uchd.
Bha e beò, ach na phèin
's air a cheann ... bha fuil.

Thugadh dhan Ràthaig Mhòir e,
's à sin a Chnoc a' Choillteir,
far 'n d' lorgadh toll peileir –
air falach, an cùl amhaich.
An ath latha, fhuair e bàs;
's thuirt am Procadair nach robh
'cùisean amharasach sam bith' an sàs.

Ach, bha poileasman,
dham b' ainm Moireasdan,
air bruidhinn ris, nuair dh'fhàg e Glaschu.
'S chunnaic esan dithis ga leantainn
ann an càr.
Am b' iadsan a bhris a-steach dha thaigh
uair no dhà?
Oir, bha 'm fear seo air tòir nan Tòraidheach
bha 'g iarraidh
stuthan niùclasach – an Alba – a thòrradh,
ga fàgail na sitig shìorraidh.

Nuair lorgadh e, bha a phàipearan sracte,
fichead slat bhon chàr.
'S an gunna a thug bàs dha, sgùrte ...
fichead slat bhon chàr.
Ach, dhiùlt Oifis a' Chrùin rannsachadh oifigeil
a chur an sàs.
Oir b' e 'dìlsean' a chaochail san dubh-chàs,
gu tur na chràdh.

Ach, ged a mhurt iad Uilleam MacRath,
Tha an sluagh fhathast a' fas 's a' fàs
le aon èigh tha mòr thar chàich: 'Alba!
Suas le Alba! Suas le Alba gu bràth!'

Ò Mosgail, mo Dhùthaich

O mosgail, mo dhùthaich, is èirich!
Thig thuige, is coilean do dhàn.
Nach seas thu 's nach tog thu an cluaran
ga thogail gu h-àrd nad dhà làimh.

Tha cuireadh na saorsa gad èigheach
bha feitheamh rè faid iomadh linn.
Tha 'm fiathachadh soilleir is làidir
's am fonn iomadh-fhillte is binn.

Tha Uallas 's am Brusach air èirigh
's cha sgùr sinn à cuimhne gach euchd;
ach rinneadh an t-strì airson saorsa
ann an linn a bha linntean ron dè.

An-diugh, 's ann a dh'fheumas sinn uile
bhith seasamh as ùr – le làn-chinnt;
gu daingeann, seadh, gualainn ri gualainn
airson na tha ceart agus fìor.

Tha ola is gaoth ann, is tonnan,
toirt cumhachd is beairteas dhar tìr;
tha àrainneachd àlainn gu leòr ann
dhaibh uile a thig is a chì.

Chan eil còir no dlighe aig Sasainn –
à Lunnainn – bhith riaghladh nar Tìr.
Cò idir as fheàrr gus ar stiùireadh
na sinne, sinn fhìn! Nach sinn?

O mosgail, mo dhùthaich, is èirich!
Thig thuige is coilean do dhàn.
Nach seas thu 's nach tog thu an cluaran
ga thogail gu h-àrd nad dhà làimh.

Murt ann am Mosul

B' ann am Mosul fhuair sinn sealladh
air gràisg tha crìon nan cridhe:
Gleann Sgàil' a' Bhàis gan dubh-dhalladh
le smal nach gabh a nighe.

DAESH trang ri foill is mealladh
is breugan grànd' an t-sniaig;
a' cur an sàs 'ribe mheala',
tro ghealladh na pòig-bhreug.

Nuair nochd an dithis, leum a' ghràisg,
gus an cur gu tur an grèim;
le làmhan làidir, cheangail 's dh'fhàisg
iad caoil an dùirn: teann an teinn!

Sheas 'Gaisgich Cràbhach' suas len creach,
air binnean àrd gan togail;
gan sgleogadh tric, gach fear mu seach,
's dhan eagal bàis gam bogadh.

Shuain 'ad stuic mun sùilean deurach,
a' magadh orr' gu tàireil;
is phut, an sin – lem fuil-mheuran –
iad thairis, sìos gum bàs 'ad.

Gun fhios nach seachnadh iad an dàn,
nan tuiteam ghrad-chlis seachad,
dh'fhàg cuid gu h-ìosal cnap, no càrn,
de chreagan – son an clachadh!

Tha seo na adhbhar bròin dhomh fhèin:
murt cho-dhaoine – olc, gu tur.
Is ged nach eil 's nach bi mi gèidh,
gu bràth cha mhol mis' 'm murt.

Bha dàimhean aig an dithis bhochd,
's a thuilleadh, mòran chàirdean;
cha shealbhaich gin dhiubh fois a-nochd,
's cò dhiubh nì gàir' a-màireach?

Nimr al-Nimr (a chuireadh gu bàs: 2 Faoilleach, 2016)

Thug na Saudaich bàs do chlèireach:
Nimr al-Nimr – chaill e cheann.
E na Shiathach trang ag èigheachd
mu ghràin Thaigh Shaud dhan nàmh, Iran.

B' i a' chasaid mhòr, "A' Cheannairc!"
Bho Ua-hàbaich a bh' os a chionn;
mhaoidh 'ad claidheamh air, ga theannadh,
is dhòirt 'ad fhuil na dhearg lionn.

Thug na Saudaich bàs do bharrachd:
bha ceathrad 's seachdnar uile ann,
"Daoine tàireil" reubt' on talamh,
"Ceartas" làidir – an lagh, tron lann!

Yemen

Ann an Yemen
mhurt na Saudaich
mìltean bochda,
thar mhìltean,
thar mhòran, mhòran
mhìosan.
'S cha tuirt 'sinne' guth.

Ach nuair a spadadh naidheachdair,
a-nis na fhear 'dhinn fhìn',
a' còmhnaidh anns na Stàitean
's a' sgrìobhadh mu an gràndachd,
dh'aithris sinn sin gun sgur.

BHA a mhurt-san borb, nàireil –
an lotadh is cùis-ghràin a bhàis.
Ach, BHA is lèirsgrios chloinne,
nam bus-sgoile, na nì mì-loinneil.
'S th' 'ad fhathast ris an-diugh.

Ach, seo dhuinne an nì sgreataidh:
's iadsan 'càirdean' Bhreatainn
dhan reic 'sinn' dùintean marbhaidh
gun dragh mu sgrios armachdan.
Mar sin, dùinear 'ar' sùilean gu tur.

Call Cogaidh

A dh'aindeoin àmhghar cràiteach,
cha mhàin na cuirp tha càrnte
a tha nan call dhur dùthaich,
chailleadh cuideachd àsan
a ghiùlain sìol phàistean
nuair thuit 'ad rag dhan ùir ud.

'S chan e seo a-mhàin an t-aon chùis-ghràin.
Oir chailleadh cuideachd fògarraich:
a theich gu lom, lem beatha,
air èiginn – nan èiginn,
a' siubhal ceum fada
à ribe na brèige.

'S chan iadsan uile, nas mò.
Oir chailleadh àsan a theich às beò: le
comas rannsachaidh
comas smaoineachaidh

comas saothrachaidh
comas sgrìobhaidh
comas geur-shùil
comas a' chiùil
is comas a bhith nan
coimhearsnachd.
Tha sinne gam faicinn
mìos thar mhìos,
a' teiche à *Libya* 's à *Syria* shìos
's bha co-fhaireachdainn againn dhaibh, riamh.

Oir theich sinne cuideachd o chron Chùil Lodair
's à Srath Nàbhair – air ar frasadh mar fhodar,
's cha do mhìnich aon neach riamh
gu ceart, le toinisg 's le làn-chiall
o bhàrr a' chnuic gu uchd a' ghlinne,
carson a sgriosadh sinne.

Je Ne Suis Pas Charlie

Tha Siaraich, nam beachd fhèin, èibhinn
's iad clis gu smuain a shadail
sìos air creidmhich, 'son an lèireadh
len irisean bhrag-mhagail.

'S iomadh cuspair thogas gàire
thall 's a-bhos, shuas is shìos:
fàidh, aingeal, naomh – gun nàire –
fiù 's nas àirde, eadhon Dia.

'S fhasa càineadh na bhith ciallach:
Charlie Hebdo – sibhse 's càch.
Ach phiobraich sibh gràisg mhì-rianail,
's le ur fanaid dhoimhnich blàr.

Seadh, nar saogh'l-ne, nithear magadh
air a' chreidmheach nach dèan murt.
Ach, togaidh cuid sròl dhubh nimheil,
's chan olc leo' sin sruth de dh'fhuil.

Cha bu chòir dhaibh idir ge-tà,
a bhith air am murt.

An Curaidh

Bhuineadh Conachar Mòr Mac Aoidh
do theaghlach rìoghail Ulaidh;
ach measar e an seo na shaoidh,
na cheannard glan 's na churaidh.

Thàinig e nall 's cha b' fhada ris,
anns an dàrna linn deug,
is chòmhnaich e ri taobh Loch Nis
is rinn e euchd, ar liagh.

Anns a' Ghleann Mhòr, thuit geilt is oillt,
's an luchd-còmhnaidh crom fo sgrios
is nàmhaid cas ri cron sa choill' –
torc mòr a bha làidir, clis.

Bha a thosgan geàrrtach, coimheach
's a chorraich teth, mar àmhainn;
chan fhaigheadh gin às lem beatha
's rinn mòran caoidh nan àmhghar.

Nis, aig ar laoch bha caraid dlùth:
An Cù Mòr – b' e bha dìleas,
leanadh e e, ri thaobh 's gu chùl
's bu leis a chridh' gu cinnteach.

Ach bha an Cù a' fàs car aost'
le sèid na altan – 's fo chràdh,
fhiaclan dol maol is sgleò na shùil;
roghnaich ar laoch dha am bàs.

Ach rinn cailleach grad-earail air
ag ràdh ris, "Leig leis a' chù:
tha latha fhèin a' feitheamh air."
'S mar sin cha deach e dhan ùir.

An sgàil' na coille, choinnich 'ad;
's chaidh an torc na chorraich-ghràin,
ghabh e dhar laoch gu frionasach
's bu domhainn sàthadh a' bhlàir.

Ach leag an torc e far a chois –
stobadh tosg ann àm no dhà;
dhòirt e fhuil is le breab gach plosg
na laigse, mheudaich a chàs.

Nuair rinn a nàmhaid teannadh dlùth
a thoirt dhàsan lot a' bhàis,
leum An Cù Mòr a-steach ri thaobh
is ghabh e am beum na àit'.

Ach mus do thuit An Cù gu làr
thog Conachar Mòr a shleagh
's nuair, thuigesan, a ruith a nàmh
gheàrr a lann troimhe gun dragh.

Nuair thàinig ar sonn thuige fhèin
bu trom dha chridh' a' bhuille,
oir dlùth ri taobh shìn an Cù Mòr,
caillt', ach gu bràth na churaidh.

(B' iad triùir mhac Chonachair Mhòir na ciad
chinn-cinnidheann fa leth a bh' aig na Caoidhich,
na Foirbeisich is na h-Urchardanaich.)

Scotti is Hibernici

San treasamh, no sa cheathramh linn,
ghabh Ìmpireachd na Ròimhe
Scotti is *Hibernici*
oirnne.
B' i a' Ghàidhlig cainnt ar beòil
's na sgaoileadh, fad' is farsaing,
shiubhail ise a slighe sìos
gu crìochan chòmhnard Shasainn.

Ach, a' gearradh leum air cheum nas fhaide,
sa Ghalltachd, nochd nuadh-fhasan:
an riochd *Inglis* chinn a tuath Shasainn.
Le mìorun a' Chinn Mhòir is Mairead,
shìolaich an teanga sin san aimhreit.

Lean seo air, dhan chòigeamh linn deug,
nuair dh'atharraicheadh a h-ainm,
am measg nan Gall an siud shìos –
gu *Scottis* nach robh oirr' cheana.

Ach dh'fhàg sin gun saoileadh tòrr
nach b' i a' Ghàidhlig idir
a bh' aig an *Scotti* ghasta,
ach, fidir, a' Bheurla Ghallta.
Dhubhadh às ar n-eachdraidh-ne;
le mìorun mòr bha meallta.

Cha do ghabh sinne riamh ge-tà –
gu follaiseach, no fiù 's gu falaichte –
Beurl' a-mhàin air Beurla Ghallt'
'bha, bhuaipe, eadar-dhealaichte.

Oir b' aithne dhuinne glan tro ùine,
nach bu Shagsonaich àsan idir.
Bhuineadh Goill dhar n-aon dùthaich
Alba, a rinn ar caidir.

Tanca Òtrachais

Tha 'n tanc' a-muigh 'cur thairis
a' gànrachadh leas ar gàrraidh;
a salchar a' liacradh lìomh ar liosa,
bha aon uair uaine, àlainn.

Tha 'n dòrtadh glas a' truailleadh
tàladh àghmhor 's tuar an àite
's ar n-àile nis làn de dh'àileadh:
samh loibhte, grod is grànda.

Oir, cha do shuidhich àsan –
luchd-obrach mheallt' a' ghàrraidh –
an sìoltachan-chlach mar a gheall;
b' e 'm foill a dh'fhàg sinn sàraicht'.

'S air sgàth nach fhaigh e slighe às
– an spùtraich ud nach gann –
tha e cur-thairis sruth gun sgur
tro chinn chruinn a chuir iad ann.

Mar sin, tha 'n steall a' mùchadh,
's a' tachdadh – le shùghadh dhan fheur;
coltach ris a' Bheurla rùchdail
dhòirt oirnn', nach d' dh'iarr i riamh.

Bòtannan Ùra

Bu ghnàth *Argylls* air ar daoine –
roghainn gun smuain thar ùine;
ach 's miann a-nis a' chaochladh
is àsan air fàs 'ro aosta'.

Oir fhuaireas bòtannan ùra –
sàr-spaideil is tòrr nas daoire,
gun a bhith dubh, ach uaine –
is cofhurtail air àrd-ùrlar.

Tha *Hunters* ùra fo 'r glùinean
le coltas nuadh an fhaoineis:
rubair ùrail, bog gar stiùireadh
o eachdraidh tha brùidht' san ùir ac'.

A' Mhòine Dhubh

Tha suinn air a' mhòinteach
gu h-eòlach a' rùsgadh
an rèisg is a' chòinnich
bhon talamh tha fraochach,

a' sireadh na mònadh,
fo chòta na sgìre:
seo saothair – an-còmhnaidh –
as fhiach, gu cinnteach.

Nam feannadh tha teòmachd
ged 's brònach dhan inntinn
cho ruadh, neo-ghlòrmhor
's a tha an àrd-ìre.

Ach chìte dath còmhdaich,
air lòintean, sna trinnsean:
an t-ola ro-òirdhearc –
na chomharr' a dh'innseas

gun ruig 'ad an sòlas
san stòras gu h-ìosal;
fon mhòine bhàn, neònach,
tha dubh-thè tha prìseil!

Is nì sinne bòstadh,
's cha leòmach dhuinn innse
g' eil Gàidhlig dhen t-seòrs' sin;
ma sgrùdar dha-rìribh.

Bidh buain làn dòchais
is ceòlais, fon uachdar
gun ghràmar na h-ònrachd
an tobar an dualchais.

Beannachd Luchd-ionnsachaidh

Ar beannachd aig luchd-ionnsachaidh
's luchd-taice Ghallt' na Gàidhlig
'son saothair mhòr an ionnsachaidh:
a' strì – 's a' toirt dhi àite.

Tha àsan uile airidh air
gach urram agus fàilte
'son lèirsinn a tha barraichte,
's taic dhuinne na ar càs-ne.

Nuair chuir na Gàidheil fhaoin an cùl
rin eachdraidh fhèin, gu nàrach,
sheall coigrich ghlic, le lèirsinn ùr
a' mealtainn soills' a h-àille.

O thigibh-se gu tur a-steach
gu fàilt' gun sgur, a chàirdean
is gabhaibh grèim, gach aon ma seach,
air pasgadh mòr ar fàilte!

An Dàn dhan Ghàidhlig

Cha bhi beatha ann dhi
– le cinnt cha bhi –
mura dèanar nì
ach sgrìobhadh is leughadh.
Oir, sìolaidh breab-cridh'
's thèid ise a dhìth,
às aonais dà nì
sin bruidhinn is èisteachd.

Gàidhlig Sgrìobhte a-mhàin

Tro ar n-eachdraidh
thug beul-aithris cainnt
dhar daoine.
Theagaisgeamaid
ris a' ghlùin, gu sgileil,
tro bhilean.

Ach an-diugh 's ann
an dubh air geal
a tha a h-aithris
a' còmhnaidh;
an-còmhnaidh.

Chan fhiach ach an aon amas,
(is aidichear seo gu tùrsach):
gràmar glan a thogail airson
dheuchainnean sgrìobhte chùrsa'n.

Mur' nochd ar cànan-ne ge-tà,
ach air pàipear 's air sgàile a-mhàin,
cha bhi i na cainnt bhios fada beò
ach glaist' an taigh-tasgaidh a' bhàis.

Mar sin, b' fheàirrte uile tilleadh, neo
cha chluinnte ceòl a gutha tuilleadh,
le cluais fhosgailt' ri fuaim 's ri cainnt
nan tùsanach gnàthasach, sgileil.

Cabhag Luchd-ionnsachaidh

Tuigear gun dèan luchd-ionnsachaidh
mearachdan –
gum bi 'ad cugallach nan
ciad-cheuman
leanabail.
'S tha co-fhaireachdainn againn dhaibh.

Ach, carson a tha na h-uimhir dhiubh
a' cur an ciad-tuislean sgrìobhte
gu poblach,
air làraichean-lìn,
mu choinneamh an t-saoghail mhòir,
ann an Gàidhlig a tha fada o ghrinn?

Mar Bheurla Ghallta luchd-bhuill-coise:
"He done great!"
"He's went affside!"
"They've came oan late!"
"She's took it her stride!"

Teagaisgidh sin mearachdan
don leithidean fhèin, le cinnt;
a' fàgail nan tùsanach Gàidhlig
's an cainnt 'cur charan nan cinn.

Mar sin, nach sir iad stòldas
chothroman sòlais – cuide rinn fhìn,
gus am freagair sinn ceistean còmhla:
an seòmraichean-còmhraidh air làraichean-lìn?
Luchd-ionnsachaidh 's tùsanaich eòlach
a' seòladh chuan nan iomadh linn;
's gach latha ùr gar neartachadh
nar cainnt Ghàidhealach ghrinn.

Trèigsinn

Air ar claoidh 's gach cridhe sàraicht'
fulang tàmailt, trèigsinn 's tàir';
a' toirt iomradh air nì nàrach:
àmhghar diùltaidh *chuid* sna Bàigh.

Clann na Hearadh, òg is aosta –
a' dol claon 's a' cleith an dàin:
làn de Ghàidhlig, ach ga mùchadh.
Seo am fasan nodha nàr!

B' iomadh bàrd a sheinn sa Ghàidhlig:
cainnt na Fèinne, dè a b' fheàrr?
Ach tha 'n tìr seo nis ga fàgail
fann is falaicht' 'n ùine gheàrr.

Aig a' chèilidh dhen ùr-sheòrsa
nì 'n luchd-gòraich leum air làr,
ach bidh cuid dhiubh, niste neònach
diùltadh Gàidhlig – mar an geàrr.

Fiù 's gun Ghall a bhith nam measg-san:
deigh-chainnt Shagsain, sin as fheàrr?
Gàidheil 'spaideil' air an clisgeadh?
Ò nach dùisg sibh. Rach sibh ceàrr!

Gàidheal?

(1) Cuiridh cuid cuideam air ceàrn an togail;
(2) Cuiridh cuid cuideam air cainnt ghlùin-bhogaidh;
(3) Cuiridh cuid cuideam air fuil-chuisle an daoine;
(4) Cuiridh cuid cuideam air fios-cultair tro ùine.

Ach 's iomadh fear is 's iomadh tè
air 'Ghàidhealtachd a chaidh àrach,
a chàineas fiù 's an sanas fhèin,
"Sa Ghàidhlig? Ò, mo nàire!"

'S iomadh connspaideire neònach
le 'r dualchas ruith tro chuislean
tha fuathach, fuar dha taobh –
seadh: gràineil, tàireil 's mucail.

'S iomadh sgoilear mòr làn fhoghlaim
a leugh càirntean dhe ar n-eachdraidh,
nach cleachd facal dhe ar cànan
's i gu tur air a seachnadh.

’S iomadh pàiste beag a dh’èirich
leis a’ Ghàidhlig ’s fuil a h-àille,
ach a thogadh air a’ Ghalltachd,
fada bhon fhìor sheann àrainn.

Tha aon, trì, ’s a ceithir taghta
(ma dh’fheumas taghadh bhith ann).
Ach ’s fheàrr a dhà – is bhon a’ ghlùin –
na iad uile eile th’ ann.

Ma bhios na ceithir còmhla, cruinn,
Sin an nì a tha ro-phrìseil.
Oir, tha an neach sinn Gàidhealach
gun cheist ’s gu dearbh-chinnteach.

Nil by Mouth

Dìnnear Dhihaoine:
burgar, sliseagan 's càise.
Bracaist Dhisathairne:
lit', mar as àbhaist.
Lòn Dhisathairne:
tuaineal, sa ghàrradh!

Nis, air mo dhruim air an t-sòfa;
luairean
na ... mo ... cheann;
pinnt uisge – le orains ann.
Tilgeil!
Nochd an dotair, bhon ath dhoras,
le Aspirin, gaisgeach
nam pilichean.
Nuair sin
luchd na h-ambaileans
a rinn brochan
de chùl mo làimhe
le canula.
Ach ghiùlain iad a dh'Aiseig mi, gu clis
's thog heileacoptair mi a dh'Inbhir Nis.

Chan fhaic mi gu ceart.
Chaill mo bhodhaig a neart.
Cha sheas mi – fiù 's le strì.
Cha shluig mi grèim bìdh.
Cadal-deilgneach nam bhus chlì.
Ceann ... slaodach ... is sgìth:
'Dè mura till...'?
'Dè mura bi...'?

Càit a bheil thu?
Dè an latha th' ann?
Cò bhliadhna tha seo?
Cuin a thachair e dhad cheann?
Siuthad, gabh fois a-nis.
Sin as fheàrr dhut.

Is fad fichead latha:
Nil by Mouth.

Leigheas no Cleas?

Trì latha gun bhiadh 's mi lag.

Nì seo feum dhut.
Feumar a dhèanamh. Feumar.
Cha dèan thu adhartas às aonais.
Stob 'ad tiùb nam shròin, sìos m' amhaich,
dham stamaig.
Ghag mi.
Ach *dh'fheumte* a dhèanamh.
Oir bha stròc air mo chomas slugaidh
A ghlasadh gu a fhreumhan.

Os cionn mo chinn thogadh crann,
le uidheam plastaig tàthte ann:
NUTRICIA FLOCARE INFINITY,
is pocan *fibre* crochte ris.
Fhad 's a chaidil mi,
's nam dhùsg,
dhòirt 'ad an roghainn-san dhòmhs'
dham bhrù.
Gun aon fhios agamsa dè
dha-rìribh a bh' ann, no,
dè a' bhuaidh bhiodh aige
air corp no ceann.

Cleas àrsaidh na h-Ìmpireachd a thaobh cànain.
Ach, gum b' e sàbhaladh a rinn stuth an ospadail
's nach b' e cron na gràinealachd.

Àile na h-Oidhche

Nam shìneadh air an leabaidh,
mo shùilean còmhdaichte le sgàil-sùla.
Beul tioram, anail ghrod,
diogladh nam sgamhain,
casadaich gun sgot.
Tha mi sgìth. Tha mi lag. Tha mo chridhe rag
's mi 'g iarraidh dèanamh às.

Ach rè na h-oidhche,
dh'fhosgladh 's dhùinte doras
is thadhail bithean sgiathail orm:
àilidhean cùbhraidh – cuid trom, cuid aotrom,
cuid a' dannsa, cuid a' toirt ionnsaigh.

Às dèidh ùine
dh'fhosgladh 's dhùint' an doras.
Chan fhacas solas.
Ach, dh'fhàgte sonas.
Oir, nam dhuibhre 's nam cheò,
dh'innis sròn is cluas dhomh
gun robh mi fhathast
beò.

Elena – Fiosaiche à Catalùinia

Uair sa mhadainn, sa uàrd:
fuaim is solais an trannsa
gam dhalladh 's gam dhùsgadh!
Och ... chuimhnich mi
gun robh mo sgamhain
air am plùsgadh.

Ach bhruidhinn guth à sgàil-riochd dhubh:
Coisichidh tu a-mach às an ospadal, gu sunndach.
Sluigidh tu biadh, a dh'aindeoin sgòrnan dùinte.
Is bruidhnidh tu a-rithist 'ille ... tro ùine.

Ach, leigidh tu rudan
nach eil gu feum dhut
às do bheatha,
ged a rinn thu iad
uile cheana, a sheòid.
'S ann airson d' oilean
a ghabh thu 'n stròc.

Briathran, aig an àm,
a bha dhòmhsa
mar phòg.

Chunail Cainnte

Coltach ri
luchd-obrach
an Chunail,
bha niùronan
a' sireadh slighe,
fon uachdar,
's iad fo dhlighe
cùrs' ùr a lorg
gu 'n ceann-uidhe.

Cha do mhair
an obair ùr sa ge-tà,
ach trì mìosan,
's cha b' e
sia bliadhna,
agus,
b' ann o
aon taobh a-mhàin
a thàinig an t-strì:
o eanchainn leòinte
chun na tèide laige, clìthe.

Is nuair a lorg iad i
thòisich am
mòr-thrafaig
às ùr.
Bruidhinn is
bruidhinn is
bruidhinn –
gun sgìths!

Dh'òl Mi!

Madainn an-diugh
chaidh uisge sìos
cho fuar, fliuch 's cho fìor,
is a dh'òl mise riamh.

Theab mi dannsa
is mhiannaich mi èigheach;
ach, cha b' urrainn dhomh.
Oir, cha robh ann ach sia-latha-deug
o dh'fhàg an stròc mi nam èiginn.

Rè nan làithean sin bha m' amhaich 's
mo shlugan dùinte,
air sgàth cion-fiosrachaidh
a' ruith bho m' eanchainn bhrùite.
Mar sin, dh'fhàgadh doras
mo stamaig druidte –
dhan a h-uile nì,
ach,
tiùb-bìdh.

Moch Diluain ge-tà, gun dùil ris
fhuair breab-dealain – mar phriobadh sùla –
bhon *Thalamus*: a' buileachadh sòlais
air doras mo shlugain,
tro shlighe ùr dha.
Ghabh mi 'n cothrom, is dh'òl mi mo leòr
's sheall mi a' mhìorbhail dhan luchd-cùraim
chòir.

Ach, air an latha àghmhor ud,
thàinig barrachd air biadhadh nàdarra thugams'
air sheòl.
Gu mo spiorad,
thill ceòl.
Cha do chuir mi fàilte cho mòr air càil riamh
's a chuir mi air an uisg' ud
a shleamhnaich ...
gu furasta ...
sìos!

Leigheas Athar

B' e siud an dealbh àghmhor:
deugaire, san ospadal.
Cha b' euslaint m' adhbhar tàlaidh
ach gnìomh-gràidh fosgailte.

Aig fìor cheann-là a' chòmhraidh
eadar athair 's a mhac òg,
ga fhàgail-san na ònrachd,
air a cheann chuir Pabaidh pòg.

An Tobar

Bha balaich fo fhallas
le malaidhean gleansach,
gach muilichinn truisgte
a' togail na feansa.

Le fliche na shruthain
fo leaghadh na grèine,
bha anail ga tharraing
is teasach sna fèithean.

Ach mheal aonan sealladh,
is an tàladh an sàs,
de dh'fhuaran ro-dheàrrsach
bha ga thàrrsainn o chàich.

Measg thacadh an rainich
b' ann a shir esan tàmh;
's e faicinn a shaorsa –
mar gum biodh e 'an dàn'.

Geàrr-astar o shaothair,
is dealaicht' o obair;
a-muigh air a' mhòintich,
ga fheitheamh – bha 'n Tobar!

Bu mhòr dha an t-iongnadh,
nuair b' esan a dh'ionnsaich,
gum b' fheàrrte dha anam
dhol shìos air a ghlùinean.

Cha d' dh'òl e às roimhe,
ach b' àlainn am blas!
Nuair fhliuchadh a bhilean
thàinig fhàsach fo fhras!

Nuair fhuair e an neart ùr,
a dh'fheith air – rè ùine,
b' ann a dh'fhosgladh a shùil
's cha robh e na aonar!

Sealladh a' Ghàrraidh

Ò, chunnaic mi tron gheata chaol
a-steach a chridh' a' ghàrraidh;
's an sin dh'fhàs lusan grinn gu saor,
a' danns' nan èideadh àlainn.

Bha dathan ùr' rim faicinn ann,
thaobh grinneis: thar gach àille
a chithear anns na h-ìochdaran
gun ghrian Dhè a' deàrrsadh.

Bha 'n glasach nèamhaidh tarraingeach
's a' sgaoileadh àileadh àlainn
do sheillein-mhil nach brodadh gath
's gu nàdarra, bha bàigheil.

Bha oiteig bhlàth ag altram anns
na craobhan an sin bha fàs;
le anail naomh gan neartachadh
is gam beathachadh gu bràth.

Bha h-uile preas: sìorraidh, slàn,
làn fallaineachd is bòidhchead:
'ad uile air am breith as ùr
is trom fo bhlàth an t-sòlais.

Bha doimhneachd mhòr san ùir an sin –
còmhnaidh ghlan do fhreumhan;
làn mathachaidh is neartachaidh
le sùgh nèimh' gan lìonadh.

Is àrd os cionn gach uile nì,
tha adhar mòr gun sgòth ann;
le grian bhlàth a' deàrrsadh
gu bràth, sìorraidh, 'còmhnaidh!

B' e seo, dham shùil-sa, dealbh ùr
bha beannaichte thar ar nàdair;
a thog an-àird mo chridhe fhann,
gu mionaideach ga chàradh.

Eud Iompaiche, 1991

O cuin a chì mi 'n fhairg' ud
aig bruaich tràigh na sìorraidh'
nuair sheòlas mi, an àirc a Mhic,
an cùrsa sin as miann leam?

O cuin a thèid mi Dhachaigh, cuin?
An ceann nan ceud bliadhna?
Tha 'm fadachd seo ga m' lìonadh-sa
le tarraing-cridh' tha cianail.

Fosgail do Shùilean

Ò fosgail do shùilean
is seall-sa mun cuairt,
cunnt àireamh nam beannachd,
oir 's tusa a fhuair.

Seadh, seall air do dhachaigh:
nead fhasgach do theaghlaich,
gach uidheam ag obair –
cion adhbhar uallaich.

No amhairc dhad phreasa
le do lòn loma-làn!
's nach caidil thu sàmhach
na do leabaidh mhòr bhlàth?

Ri 'taobh, am preas-aodaich
le raimhr' a' sìor-fhàs –
mar stòras do bhrògan,
cuid, nach cleachdar gu bràth.

Gabh sùil air na beanntan,
air a' mhuir is gach tràigh;
na h-àiteachan fasgaidh,
gach cala is gach bàgh.

Is sìtheil do dhùthaich:
saor o bhlàr-bhuaireadh;
cha sin dhaibh thall thairis
fo thruime mòr-uallaich.

Gan coimhead seo uile
b' fheàrr fada, is gun sgur,
bhith toilichte, tùrail
agus taingeil gu tur.

Miss Christina

Ò, shiubhail rionnag gràidh an-diugh
à sealladh-sùl' an t-saoghail;
a' fàgail beàirn nam lèirsinn òig -
an àireamh luchd mo ghaoil.

Oir b' ise tè a b' annsa leam
san cuirinn tlachd 's mo spèis-sa.
Oir b' aithne dhìse rùintean Dhè
is neartaich i san rèis mi.

B' i bana-fhàidh dham b' aithne gràs
bho làithean geal' a h-òige;
a dh'fhàs 's a lean an Cìobair Naomh -
a dh'adhbhraich dhi a sòlas.

'S bu mhòr an sluagh a ghabhadh ceum
gu dachaigh bhlàth a còmhnaidh;
's a dhìreadh staidhre suas gu h-àrd
gu comann gràidh an t-sòlais.

'S ged bha i sìnt' air leabaidh cràidh
bha 'spiorad fhathast geur dhi;
oir thogadh Spiorad Naomh a' ghràidh
gu h-àrd os cionn gach reul i.

Ach chan eil feum nam spìocaireachd,
a ghleidheadh dhòmhs' – dhomh fhèin i;
oir 's fheàrr dhi fada bhith an siud
an cùirtean naomh a Dè-se.

Oir thogadh ise nis a Nèamh
gun cheist, mar bha i 'g iarraidh;
gu flaitheas 's naomhachd Dhè nan Dùl,
gu sìth is sonas sìorraidh.

Ach thig a comhairl' gu mo cheann
nuair bhios mo chridh' ga h-ionndrainn;
is math, le cinnt, gun robh mi ann –
na cuideachd – beagan ùine.

Is math, le cinnt, gun robh mi ann –
na cuideachd – beagan ùine.

Sinne 's Iadsan

Nam òige,
b' e 'Pàpanaich'
a ghabhadh 'sinne'
'oirbhse'.

Aig sia-deug ge-tà,
choinnich 'sinne'
ri cuid 'agaibhse'
san Àrd-sgoil;
's tro chàirdeas,
chunnacas gun robh
an t-ainm sin
grod is
grànda.

Mun àm bha mis' sna ficheadan,
is suas, àrd sna tritheadan,
bu ghràin leam an tiotal nimheil sin.

Is nuair a ràinig mi na ceathradan,
choinnich mi ri Mgr Iain Aonghas
is 'sinne' ag eadar-theangachadh
Facal Dhè: gu rèidh 's gu subhach.

'S a' coiseachd sràidean Inbhir Nis
san t-sneachda
rinn mo chridhe gàire.
Oir, le cheum-san lag, gun chinnt,
choisich sinn gu nàdarra
le chèile – air dà ghàirdean.

Oir, làn sòlais, bha 'sinne' nar Caitligich:
Esan Ròmanach, mise Pròstanach.
Seadh, bha sinne aointe, còmhla.

Ach an-diugh – 's mi thar leth-cheud,
chualas gun robh e fhèin air triall.
Is shil mo shùil, is thuit, ò, thuit,
mo chridhe ...
sìos, sìos.

Am Faca Tus' an Sealladh?
(18.07.93)

Am faca tus' an sealladh dorch'
dhen Duin' ud air a' chrann?
a' bàsachadh le anam brùidht'
gun charaid dhà-san ann?

Cha d' thuig mi riamh, ron latha naomh,
mo mhòr-fheum-s' air a shlàinte.
Ach 's aithne dhomh a-nis, an-diugh,
gun d' chaochail e nam àite.

B' ann airsan 'thuit gach buille throm
's na smugaidean bu ghràinde,
is sluagh an sgreamh' gan sadail air,
le nimh dhan Tì as àirde.

B' e sealladh cràiteach bàs an Uain
a ghabh air fhèin ar nàire;
a' cosnadh dhuinne beatha ùr –
tro làraichean nan tàirnean.

B' e Ìos' a dh'fhuiling corraich Dhè,
am bàs seo – air ar sàilleabh –
gun aona pheacadh fa-near dha
ach foirfeachd bha gràsmhor.

O chunnaic mis' an sealladh dorch',
an nimh, an fhuil, 's an caoineadh;
nuair thuit air Ìos' trom-pheanas Dhè:
air Crìosd, am Mac, na aonar.

O, chlann na feirg a thuit gu lèir
sa ghàrradh ann an Àdhamh;
nach gabh sibh ris, nur n-àmhgharan?
Nach gabh sibh làmh an t-Slànaigheir?

Nach fhaic sibh idir ur mòr-fheum
air seasamh ceart, na ghràs-san?
Is air an t-slàinte nach tèid cèin.
Cha ghoidear uaibh gu bràth e!

Nach cuala sibh na facail naomh
a bhris tro chràdh ro-chianail;
"Athair maith dhaibh, oir chan eil
fhios ac' dè tha 'd a' dèanamh."